Polo

Ficelle

Oscar

Tim

Boukoulélé

Mauricette

Oua Oua

Gloria

Pipo

Raoul

La princesse
Barnie

Pascale Claude-Lafontaine

la famille Bonbon
au Far West

Editions Lito

La famille Bonbon va au Far West
pour y chercher de l'or.

Les enfants descendent des chariots.
– Alors, c'est ça le Far West ?

– Voilà un bon coin, dit Lili,
on va pouvoir s'installer.

Les enfants préparent le feu.

–Dépêchons-nous, dit Lili, il va bientôt faire nuit.

Un biscuit, un café, c'est comme ça
qu'on dîne au Far West.

Le feu est éteint.
Tim et Lili s'enroulent dans leurs couvertures.
C'est comme ça qu'on dort au Far West.

Tout à coup... Tim entend un drôle de bruit.
Attention, voilà les bandits !

– Tout le monde à son poste ! crie Lili.

On entend des coups de feu.

Il y a...

des petites bagarres...

dans le noir...

et clac ! Tim allume la lumière !

– Tout va bien, dit Lili.
C'est fini, les bandits sont partis.

Il y a beaucoup de blessés. Lili fait des pansements, des pansements, encore des pansements.

Quand tous les blessés sont soignés,
ils vont jusqu'au lac Écarlate où
se trouve l'or qu'ils sont venus chercher.

– Regardez, les enfants, dit Lili,
voilà une grosse pépite d'or.

Ils mettent les pépites dans un sac...

Pour aller au Far West, il faut:

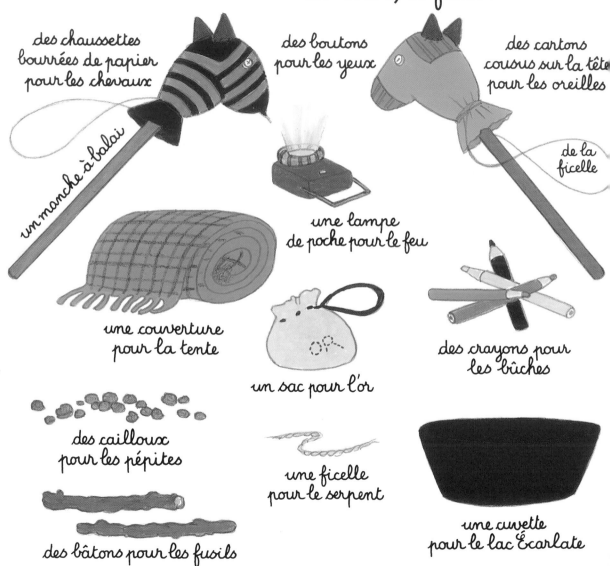

des chaussettes bourrées de papier pour les chevaux

un manche à balai

des boutons pour les yeux

des cartons cousus sur la tête pour les oreilles

de la ficelle

une lampe de poche pour le feu

une couverture pour la tente

un sac pour l'or

des crayons pour les bûches

des cailloux pour les pépites

une ficelle pour le serpent

des bâtons pour les fusils

une cuvette pour le lac Écarlate

Une collection animée par Éric André

© Lito, 2000

Lito
41, rue de Verdun 94500 Champigny-sur-Marne
Imprimé en CEE
Loi n° 49-956 du 16 juillet 1949 sur les publications destinées à la jeunesse
Dépôt légal : août 2000

Raoul

Boukoulélé

Moumoute

Polo

Oua Oua

Lili

Pipo

La princesse
Barnie

Gloria

Oscar

Mauricette

Ficelle